UDC

中华人民共和国国家标准

P

GB 51181－2016

煤炭洗选工程节能设计规范

Design code for energy efficiency of coal cleaning engineering

2016－08－18　发布　　　　2017－04－01　实施

中华人民共和国住房和城乡建设部
中华人民共和国国家质量监督检验检疫总局　　　联合发布

中华人民共和国国家标准

煤炭洗选工程节能设计规范

Design code for energy efficiency of coal cleaning engineering

GB 51181 - 2016

主编部门：中 国 煤 炭 建 设 协 会
批准部门：中华人民共和国住房和城乡建设部
施行日期：2 0 1 7 年 4 月 1 日

中国计划出版社

2016 北 京

中华人民共和国国家标准

煤炭洗选工程节能设计规范

GB 51181-2016

☆

中国计划出版社出版发行

网址：www.jhpress.com

地址：北京市西城区木樨地北里甲 11 号国宏大厦 C 座 3 层

邮政编码：100038　电话：(010) 63906433（发行部）

北京市科星印刷有限责任公司印刷

850mm×1168mm　1/32　1.75 印张　37 千字

2017 年 3 月第 1 版　2017 年 3 月第 1 次印刷

☆

统一书号：155182 · 0031

定价：12.00 元

中华人民共和国住房和城乡建设部公告

第 1273 号

住房城乡建设部关于发布国家标准
《煤炭洗选工程节能设计规范》的公告

现批准《煤炭洗选工程节能设计规范》为国家标准,编号为 GB 51181—2016,自 2017 年 4 月 1 日起实施。其中,第 3.1.2 条为强制性条文,必须严格执行。

本规范由我部标准定额研究所组织中国计划出版社出版发行。

中华人民共和国住房和城乡建设部

2016 年 8 月 18 日

前　言

本规范是根据住房城乡建设部《关于印发〈2012 年工程建设标准规范制订修订计划〉的通知》(建标〔2012〕5 号)的要求,由中煤科工集团北京华宇工程有限公司会同有关单位共同编制完成。

本规范在编制过程中,编制组经过广泛调查,总结了不同工艺、地域条件下选煤厂的实际能耗情况,认真分析了我国能耗设备和节能设计现有水平和国家对节能减排的要求,在广泛征求意见的基础上,经过反复讨论、修改、完善,最后经审查定稿。

本规范共分 10 章,主要内容包括总则,术语,工艺系统节能,电气节能,建筑节能,给水、排水节能,供暖、通风与除尘节能,总图运输节能,资源综合利用、能源计量及能耗指标。

本规范中以黑体字标志的条文为强制性条文,必须严格执行。

本规范由住房城乡建设部负责管理和对强制性条文的解释,中国煤炭建设协会负责日常管理工作,中煤科工集团北京华宇工程有限公司负责具体技术内容的解释。本规范在执行过程中如发现需要修改或补充之处,请将意见和建议寄交中煤科工集团北京华宇工程有限公司(地址:北京市西城区安德路 67 号,邮政编码:100120),以便今后修订时参考。

本规范主编单位、参编单位、主要起草人和主要审查人:

主 编 单 位:中煤科工集团北京华宇工程有限公司

参 编 单 位:山西约翰芬雷华能设计工程有限公司

　　　　　　　煤炭工业合肥设计研究院

　　　　　　　大地工程开发(集团)有限公司

　　　　　　　北京圆之翰煤炭工程设计有限公司

　　　　　　　中煤西安设计工程有限责任公司

　　　　　　　中煤科工集团重庆设计研究院有限公司

　　　　　　　煤炭工业太原设计研究院

　　　　　　　中煤科工集团沈阳设计研究院有限公司

主要起草人：陶能进　吴　影　李明辉　郭牛喜　吕建红

　　　　　　侯甫志　李　丁　杨晓慧　周国军　仇汉江

　　　　　　冯景涛　石剑峰　刘宗时　李新峰　陈中文

　　　　　　孙永星

主要审查人：邓晓阳　黄通才　王荣相　王志杰　孙建利

　　　　　　王先锋

目　次

Contents

1 总 则

1.0.1 为贯彻执行《中华人民共和国节约能源法》和国家有关节约能源的方针政策，规范煤炭洗选工程节能设计，制定本规范。

1.0.2 本规范适用于新建、改建及扩建的煤炭洗选工程节能设计。

1.0.3 煤炭洗选工程节能设计应采用国家推广的节能技术和工艺，选择节能型设备和材料，不得选用国家禁止使用的高耗能、低效率的落后工艺和装备。

1.0.4 煤炭洗选工程节能设计除应符合本规范外，尚应符合国家现行有关标准的规定。

2 术　　语

2.0.1 吨煤电耗 power consumption for unit raw coal

选煤厂每处理一吨原煤所消耗的电量。

2.0.2 吨煤水耗 water consumption for unit raw coal

选煤厂采用湿法分选工艺每加工一吨原煤,需要从系统外补加的水量。

2.0.3 吨煤介耗 dense medium consumption for unit raw coal

采用重介质选煤方法每加工一吨原煤所消耗的重介质量。

2.0.4 零排放 zero sluice

生产废水在厂内处理后全部返回生产系统回用,不向环境排放。

3 工艺系统节能

3.1 工艺流程

3.1.1 工艺流程的制定应根据原煤性质和产品质量要求,合理确定分选上、下限,简化工艺环节。

3.1.2 选煤厂生产用水应达到零排放。

3.1.3 产品结构和工艺流程的技术经济论证中应包括能源消耗的内容。

3.2 工艺布置

3.2.1 地面工艺总布置应符合下列规定:

    1 原料煤及产品的内外部运输系统应衔接顺畅,不宜有反向运输。

    2 应充分利用地形高差、实现煤流和煤泥水的自流运输、减少厂内运输能耗。

    3 工艺总平面布置应简洁、紧凑,并应减少厂内运输距离和栈桥转载次数。

    4 有条件时,不同功能的车间宜采用联合建筑。

3.2.2 车间内工艺布置应紧凑流畅,减少物料的中转环节,缩短煤流运输距离,减少物料提升高度和重复提升。

3.2.3 生产废水应回收并返回生产系统复用。

3.3 设备选型

3.3.1 选煤工艺设备选型应合理,负荷率不宜小于流程量乘以不均衡系数后的 70%。

3.3.2 物料的运输和分配宜选用带式输送机。

3.3.3 泵类、空气压缩机的设备选型、管道配置、运行效率和负载调节方式应符合现行国家标准《交流电气传动风机（泵类、空气压缩机）系统经济运行通则》GB/T 13466 的相关要求。

3.3.4 重介质旋流器入料泵宜配用调速装置。

3.3.5 大型选煤厂主运输带式输送机宜选用软启动装置，输送量变化大的产品煤带式输送机宜选用调速装置。

4 电气节能

4.1 供电系统

4.1.1 供电电压应根据选煤厂设计生产能力、外部电源现状及规划,经技术经济比较确定。

4.1.2 选煤厂 10kV(6kV)配电室或 35kV 变电所应采用单母线分列运行方式,二回电源应同时运行。

4.1.3 供电线路应根据供电最大负荷按经济电流密度选择导线截面,并应按发热、电压损失及稳定校验。

4.2 配电系统

4.2.1 变配电室应根据总平面布置和负荷分布情况合理设置,变配电室应靠近负荷中心。

4.2.2 配电电压应符合现行国家标准《煤炭洗选工程设计规范》GB 50359 的相关规定。

4.2.3 变压器选择除应符合现行国家标准《煤炭洗选工程设计规范》GB 50359 的相关规定外,还应符合下列规定:

 1 应合理选择变压器台数和容量,并应缩小供电半径。

 2 应选用低损耗、新系列节能变压器,其能效等级应达到现行国家标准《三相配电变压器能效限定值及能效等级》GB 20052 的一级标准。

4.2.4 配电系统降压次数不宜超过两次。同一电压等级的配电级数高压不宜多于两级,低压不宜多于三级。

4.3 电能质量

4.3.1 无功补偿应符合下列规定:

1 35kV变电所应设置集中式高压无功补偿装置,10kV配电室可根据不同情况,设置集中式高压无功补偿,也可由上一级变电所设置集中式高压无功补偿。补偿后公共连接点最大负荷时的功率因数不应低于0.9。

2 在负荷相对集中的车间配电室应进行低压集中补偿,补偿后平均功率因数应大于0.9。

3 无功补偿装置应能自动投切,并应选择能耗较小的无功补偿装置。

4.3.2 谐波抑制应符合下列规定:

1 配电变压器宜选择 D,yn11 接线方式。

2 变频器应配置滤波装置。

3 选煤厂谐波电压和谐波电流超标时,宜设置有源滤波装置。

4.4 控 制 系 统

4.4.1 控制系统设计应符合下列规定:

1 煤流线上全部生产设备及辅助生产设备应纳入控制系统。

2 应根据工艺系统要求,合理划分控制子系统。

3 检测、监控设备的配置应符合现行国家标准《煤炭洗选工程设计规范》GB 50359 的相关规定。

4.4.2 控制系统运行应符合下列规定:

1 控制系统应具有集中/就地控制方式,两种控制方式可实现无扰动切换。

2 系统应具有连锁功能。

3 系统正常运行时,应采用集中控制方式。

4.5 电气设备与电缆

4.5.1 选煤厂应选用高效低耗的节能电气产品,不得选用国家公布的淘汰产品。

4.5.2 电动机电压等级宜符合下列规定：

1 380V 配电系统采用工频配电、功率大于或等于 200kW 时，宜采用 10kV 电压等级；采用变频配电、功率大于或等于 400kW 时，宜采用 10kV 电压等级。

2 660V 配电系统采用工频配电、功率大于或等于 280kW 时，宜采用 10kV 电压等级；采用变频配电、功率大于或等于 560kW 时，宜采用 10kV 电压等级。

4.5.3 调速设备宜采用变频调速装置，并应符合下列规定：

1 应根据具体工况，合理选择变频器电压等级和容量。

2 对有调速要求但可能长期运行在工频电源状态的设备，宜有短接变频装置的措施。

3 变频器输入端和输出端应设置抑制谐波装置。

4.5.4 启动时对电网造成冲击的设备宜采取限制启动电流的措施，并应符合下列规定：

1 启动结束后宜将启动装置退出。

2 重载设备宜配置变频器启动装置。

3 风机和泵类设备宜配置软启动装置。

4.5.5 电缆选择应符合下列规定：

1 高压电力电缆宜采用交联聚乙烯铜芯电力电缆，应按经济电流密度选择电缆截面，并应按发热、电压损失及热稳定校验。

2 低压电力电缆宜选用铜芯电缆，并宜按发热选择电缆截面，有条件时可按经济电流密度选择电缆截面。

4.5.6 电缆敷设应符合现行国家标准《电力工程电缆设计规范》GB 50217 的有关规定，并应保证电缆路径最短且便于散热。

4.6 照 明

4.6.1 照明应根据不同场合采用不同种类的高效光源，并应采用新型高效光源。

4.6.2 照明灯具应选择高效节能灯具，效率不应低于现行国家标

准《建筑照明设计标准》GB 50034 的相关规定,功率因数不应低于
0.9。改建和扩建项目,应对效率低于 50% 的灯具予以更换。

4.6.3 主厂房、筛分破碎车间等大型厂房宜采取分区照明方式,
厂房内楼梯间照明应设置双控开关,综合办公楼及生活福利设施
应合理设置照明灯的开关数量。

4.6.4 厂区道路照明应采用节能自控装置,有条件时可选用太阳
能照明装置。

5 建 筑 节 能

5.0.1 严寒和寒冷地区选煤厂建(构)筑物应进行节能设计。居住、公共建筑节能设计应符合国家现行标准《公共建筑节能设计标准》GB 50189、《严寒和寒冷地区居住建筑节能设计标准》JGJ 26、《夏热冬暖地区居住建筑节能设计标准》JGJ 75、《夏热冬冷地区居住建筑节能设计标准》JGJ 134 的有关规定,并应执行项目所在地相关节能标准。

5.0.2 建(构)筑物围护结构热工性能应根据建筑气候分区确定,并应符合表 5.0.2 的规定。

表 5.0.2 围护结构热工性能

围护结构部位		传热系数限值[kW/(m²·K)]		
		严寒地区		寒冷地区
		A 区	B 区	
屋 面		≤0.4	≤0.45	≤0.55
外 墙		≤0.45	≤0.5	≤0.6
底面接触室外的架空或外挑楼板		≤0.45	≤0.5	≤0.6
采暖与非采暖房间的隔墙或楼板		≤0.6	≤0.8	≤1.5
单一朝向外窗 (包括透明幕墙)	窗墙面积比 ≤0.3	≤2.8	≤2.9	≤3.0
	0.3<窗墙面积比 ≤0.4	≤2.5	≤2.6	≤2.7
建筑外门		≤0.55	≤0.6	—

5.0.3 外墙墙体应满足承重和保温隔热要求。自承重墙及填充墙应选用保温隔热效果好的轻质新型建筑材料,材料的选取应符合下列规定:

1 提高围护结构热阻值可选取下列建筑材料:

1)轻质高效保温材料与砖、混凝土或钢筋混凝土等材料组成的复合结构。

2）密度为 500kg/m³ ～ 800kg/m³ 的轻混凝土和密度为 800kg/m³ ～ 1200kg/m³ 的轻骨料混凝土作为单一材料墙体。

3）多孔黏土空心砖或多排孔轻骨料混凝土空心砌块墙体。

4）密度不小于 20kg/m³ 的硬质聚氨酯泡沫塑料夹芯板，密度不小于 100kg/m³ 的岩棉（或矿渣棉）夹芯板，密度不小于 35kg/m³ 的模塑（或挤塑）聚苯乙烯泡沫塑料夹芯板。

2　提高围护结构热稳定性可采取下列措施：

1）采用复合结构时，内、外侧宜采用砖、混凝土或钢筋混凝土等重质材料，中间采用复合轻质保温材料。

2）采用加气混凝土、泡沫混凝土等轻骨料混凝土单一材料墙体时，内、外侧宜作水泥砂浆抹面层或其他重质材料饰面层。

5.0.4　主要建筑物楼梯间及人员主出入口处宜设置门斗。

5.0.5　外墙的窗墙面积比应根据采光、节能等因素，经综合比较后确定。层高较高的建（构）筑物宜采用高窗、低窗结合布置。屋面设置采光天窗时，其透明面积不应大于屋面总面积的 20%。

5.0.6　窗的选材及构造应按同地区的建筑节能要求确定，外窗的气密性不应低于现行国家标准《建筑外门窗气密、水密、抗风压性能分级及检测方法》GB/T 7106 规定的 4 级。

5.0.7　除变配电室外，其他位置的外门均应采取保温节能措施。

5.0.8　带式输送机栈桥与厂房相连接的洞口宜布置保温板隔墙，其栈桥人行道、检修道在保温板隔墙处应设置供人员通过的门。

5.0.9　建（构）筑物架空或外挑楼板应设置保温。

5.0.10　产品仓仓壁厚度不满足防冻结要求时，应采取保温措施。

6 给水、排水节能

6.0.1 供水设备应采用高效、节能产品,可采用气压变频供水机组。

6.0.2 供水系统宜采用分质、分压供水。

6.0.3 排水系统宜采用雨污分流制,雨污水排放应减少提升环节,必须提升时应采用节能设备。

6.0.4 卫生器具及器材应采用节水、节能型产品。

6.0.5 设备冷却用水宜循环使用。

6.0.6 矿井型、群矿型选煤厂生活污水宜与矿井生活污水统一处理,中心型、矿区型选煤厂生活污水宜根据污水量采用成套节能污水处理设备,处理后产品水宜作为选煤厂生产用水或绿化用水。

7 供暖、通风与除尘节能

7.0.1 供暖系统热源应利用热电联产、工业余热和废热。无热电联产、工业余热和废热可利用的地区,宜采用集中锅炉房。建筑热水供应有条件时,宜采用太阳能、热泵等提供热源。

7.0.2 锅炉房的供暖半径应根据供暖区域、供暖规模、供暖方式及热媒参数等条件合理确定,供暖规模较大时,可采用分区设置热力站的间接供暖系统。

7.0.3 新建工程的集中供暖系统应采用热水作为热媒,改建、扩建工程供暖系统的热媒宜与既有供暖系统一致。

7.0.4 寒冷和严寒地区,集中供暖系统宜采用高温热水。

7.0.5 排除室内的余热、余湿宜采用自然通风;当自然通风达不到要求时,应采用机械通风系统或复合通风系统。

7.0.6 对散发粉尘、有害气体的设备或工艺环节,在不影响操作的前提下,应加以密闭,并应分别采用高效除尘、局部排风系统。

8 总图运输节能

8.1 工业场地总平面

8.1.1 工业场地总平面布置应根据地形、工程地质、气象等条件及选煤工艺要求,结合建(构)筑物功能特点,合理分区、紧凑布置。有条件时,可建设联合厂(库)房,并可集中布置行政管理及生活服务设施。

8.1.2 工业场地竖向布置应根据自然地形特点,结合选煤工艺煤流走向,合理确定竖向设计形式和场地平整方式,应减少填、挖方工程量,并应满足场地内外交通、运输、排水和装卸作业要求。场内地面雨水宜采用自流式管、沟,并应就近排放。

8.1.3 工业场地场内运输应合理选择运输方式和牵引动力;窄轨铁路布置应集中、紧凑,道路布置应顺直、短捷。

8.2 地 面 运 输

8.2.1 对外运输应根据设计生产能力、运输流向、外部运输条件、节能及运营费、交通发展规划等确定。运输方式可采用标准轨距铁路、公路、水运、管道、索道或带式输送机等。具有水运条件时,宜采用水运或水陆联运。

8.2.2 大型、特大型选煤厂对外运输宜以标准铁路运输为主,标准铁路运输节能设计应符合下列规定:

1 应采用路企直通运输方式,本务机车应直接进装卸站取送车作业。

2 有条件时,大型、特大型选煤厂装车站设计应选用环线或折返式快速装车站型,并应采用机车牵引空列进装车站装车作业。

3 取送车方式应首选送空取重或送重取空作业方式。

4 站内股道布置应使机车作业减少站内折返、转线次数。

5 准轨或窄轨运输装车动力宜选用铁牛调车作业线,重车端宜采用平坡或 1‰下坡;不宜选用无极绳绞车调车。

6 翻车机重车线宜采用面向翻车机的 1‰下坡道。

8.2.3 铁路或公路运输宜采用顺直的平面线形及较和缓的线路纵坡。

9 资源综合利用

9.0.1 选煤厂设计应对所产出的矸石、煤泥和中煤的年产量、性质及适宜的工业用途进行分析说明。

9.0.2 矸石、煤泥和中煤的利用，应按现行国家标准《煤炭工业矿井节能设计规范》GB 51053 和《煤矸石利用技术导则》GB/T 29163 的相关规定执行。

9.0.3 选煤厂设计应对共伴生矿产和有益元素进行含量分析，达到综合利用品位时，应提出资源回收和综合利用方法或途径。

10 能源计量及能耗指标

10.1 能源计量

10.1.1 选煤厂应配备煤、电、水、油、热、压缩空气、加重质等计量装置,并宜满足各系统单独考核计量的要求。

10.1.2 各种能源的计量仪表应配置齐全,其配备率、完好率、周检率应达到现行国家标准《用能单位能源计量器具配备和管理通则》GB 17167、《煤炭企业能源计量器具配备和管理要求》GB/T 29453 的相关要求。

10.2 能耗指标

10.2.1 选煤厂入洗原煤吨煤水耗不应大于现行国家标准《取水定额 第 11 部分:选煤》GB/T 18916.11 中的相关规定。

10.2.2 不同分选下限的吨煤介耗应符合现行国家标准《煤炭洗选工程设计规范》GB 50359 的相关规定。

10.2.3 选煤厂折算成入厂原煤的理论计算电耗等级可分为 3 级,Ⅰ级应为先进值,Ⅱ级应为推荐值,Ⅲ级应为限定值。电耗等级应符合表 10.2.3 的规定。

表 10.2.3 选煤厂折算成入厂原煤的理论计算电耗等级(kW·h/t)

序号	选煤工艺	电耗等级		
		Ⅰ	Ⅱ	Ⅲ
1	重介选+浮选	≤6.8	6.8～9.0	9.0～11.4
2	跳汰选+浮选	≤5.7	5.7～7.5	7.5～9.5
3	块、末煤重介选	≤3.6	3.6～5.1	5.1～7.0
4	块煤、末煤重介选+粗煤泥分选	≤3.7	3.7～5.4	5.4～7.4
5	块煤动筛跳汰选+末煤重介选	≤3.7	3.7～5.2	5.2～7.2

序号	选 煤 工 艺	电 耗 等 级		
		Ⅰ	Ⅱ	Ⅲ
6	混煤重介选＋粗煤泥分选	≤3.6	3.6～5.0	5.0～6.9
7	块煤重介(跳汰)选	≤3.2	3.2～4.6	4.6～6.3
8	混煤重介选	≤3.6	3.6～5.1	5.1～7.0
9	混煤跳汰选	≤3.4	3.4～4.8	4.8～6.7
10	块煤动筛跳汰选＋末煤跳汰选	≤3.4	3.4～4.8	4.8～6.7
11	块煤重介选＋末煤跳汰选	≤3.6	3.6～5.1	5.1～7.0
12	块煤动筛跳汰选	≤1.6	1.6～2.2	2.2～2.8

注:本表电耗不包括长距离厂外带式输送机。

10.2.4 新建选煤厂电耗等级应达到Ⅱ级。

本规范用词说明

1 为便于在执行本规范条文时区别对待,对要求严格程度不同的用词说明如下:

    1)表示很严格,非这样做不可的:

       正面词采用"必须",反面词采用"严禁";

    2)表示严格,在正常情况下均应这样做的:

       正面词采用"应",反面词采用"不应"或"不得";

    3)表示允许稍有选择,在条件许可时首先应这样做的:

       正面词采用"宜",反面词采用"不宜";

    4)表示有选择,在一定条件下可以这样做的,采用"可"。

2 条文中指明应按其他有关标准执行的写法为:"应符合……的规定"或"应按……执行"。

引用标准名录

《建筑照明设计标准》GB 50034

《公共建筑节能设计标准》GB 50189

《电力工程电缆设计规范》GB 50217

《煤炭洗选工程设计规范》GB 50359

《煤炭工业矿井节能设计规范》GB 51053

《建筑外门窗气密、水密、抗风压性能分级及检测方法》GB/T 7106

《交流电气传动风机(泵类、空气压缩机)系统经济运行通则》GB/T 13466

《用能单位能源计量器具配备和管理通则》GB 17167

《取水定额 第 11 部分:选煤》GB/T 18916.11

《三相配电变压器能效限定值及能效等级》GB 20052

《煤矸石利用技术导则》GB/T 29163

《煤炭企业能源计量器具配备和管理要求》GB/T 29453

《严寒和寒冷地区居住建筑节能设计标准》JGJ 26

《夏热冬暖地区居住建筑节能设计标准》JGJ 75

《夏热冬冷地区居住建筑节能设计标准》JGJ 134

中华人民共和国国家标准

煤炭洗选工程节能设计规范

GB 51181 - 2016

条 文 说 明

制 订 说 明

《煤炭洗选工程节能设计规范》GB 51181—2016 经住房城乡建设部 2016 年 8 月 18 日以第 1273 号公告批准发布。

为便于广大设计、施工、科研、学校等单位有关人员在使用本规范时能理解和执行条文规定,《煤炭洗选工程节能设计规范》编制组按照章、节、条顺序编制了本规范的条文说明,对条文规定的目的、依据以及执行中需要注意的有关事项进行了说明,还着重对强制性条文的强制性理由做了解释。但是,本条文说明不具备与规范正文同等的法律效力,仅供使用者作为理解和把握规范规定的参考。

目　　次

1 总　　则

1.0.1　本条为制订本规范的目的。

1.0.2　本条规定了本规范的适用范围。煤炭洗选工程可包括选煤厂、干选厂和筛选厂。

1.0.3　选煤工艺选择与选煤厂能耗密切相关。先进的分选工艺可提高分选效率、简化工艺环节，从而提高资源回收率，降低生产电耗，达到节约能源的目的。

3 工艺系统节能

3.1 工 艺 流 程

3.1.1 合理的工艺流程是选煤厂节能的基本保证。实践证明,在满足产品质量要求的前提下,适当提高分选上、下限,简化工艺环节不但可以节省投资,还可起到节能降耗的目的。

3.1.2 选煤厂生产过程中,当所产生的煤泥水处理不及时或进入系统的水量过多时,有可能向外排放少量处理达标或未达标的煤泥水,这会对环境产生一定影响。尤其是未达到排放标准的废水,会产生环境污染。选煤厂生产用水达到零排放,要求设计煤泥水处理环节能力要充足、系统要可靠,无论是处理达标或未达标的废水,都不能向环境排放。本条是强制性条文,必须严格执行。

3.1.3 通常选煤厂设计在确定产品结构和工艺流程时,都要求进行方案比较或技术经济论证,本规范要求在进行方案比较或技术经济论证时,增加能源消耗方面的论证。

3.2 工 艺 布 置

3.2.1 车间与车间之间的煤流运输电耗占选煤厂总电力消耗的15%～40%,甚至更高。因此地面工艺总布置应紧凑、顺畅,充分利用地形高差,以减少电力消耗。

3.2.2 车间内煤流运输会产生电力消耗,尤其是垂直提升的煤流和水、介质系统消耗能量较大,应缩短煤流运输距离及提升高度并减少重复提升,以减少电力消耗。

3.2.3 水资源的消耗也在综合能耗的计算范围,因此车间内废水应回收再利用。

3.3 设 备 选 型

3.3.1 合理的设备选型,适当提高设备负荷率,都能起到节能的效果。当选煤厂预期会发生煤质变化或产品数量、质量变化的情况时,设备选型按照最不利状况选择,负荷率可能会偏小,此种情况下设计应给出负荷率偏小的充足理由。

3.3.2 选煤厂固体物料的运输大多采用带式输送机和刮板输送机。刮板运输机在运输过程中,物料与承载物料的刮板槽体为滑动摩擦,比带式输送机运动阻力大,在相同运输量、运输距离和提升高度时,刮板运输机所消耗的电能比带式输送机多一倍以上。因此在设备选型时,宜优先选用带式输送机。

3.3.3 现行国家标准《交流电气传动风机(泵类、空气压缩机)系统经济运行通则》GB/T 13466 中对泵类、风机的运行效率,流速选择,管网配置,流量调节方式,风机(泵类)机组额定效率的计算和对机组设备判别与评价方法做了规定。其中的"对机组设备判别与评价"是对设备选型是否符合经济运行要求的评价。机组实际运行是否经济,则需对实际生产运行机组进行实测方能得到判别数据。

3.3.4 重介质旋流器入料泵是旋流器起分选作用的关键设备,由于在生产过程中需要对分选密度进行调节,导致入料泵负荷的变动较大,因此要求配用调速装置。

3.3.5 带式输送机采用软启动装置可减少启动电流对电网的冲击。选煤厂由于受市场和原煤质量变化的影响,产品种类或数量或有所变化,设计选用的带式输送机在某时间段会有负荷率大大降低的情况,因此要选用调速装置,使带式输送机运行工况与所输送物料量相匹配。这里提到的软启动装置包括液力耦合器类、变频器等。

4 电 气 节 能

4.1 供 电 系 统

4.1.1 选择供电电压与输送容量、输送距离有关,也与供电线路的回路数有关。输送距离长、输送容量大时,为降低线路电压损失,宜提高供电电压等级。受外部电源限制,不能提高电压等级时,可增加供电线路以满足输送容量和降低线路损耗的要求。

4.1.2 双电源同时工作有利于减少线路损耗,并提高供电的可靠性。

4.2 配 电 系 统

4.2.4 如果供配电系统接线复杂,配电层次过多,则不利于管理,而且由于配电级数的增加,串联元件也将增加,因为元件故障和操作错误产生的事故也随之增多,元件的接触电阻产生的能耗亦会随之增多。

4.3 电 能 质 量

4.3.1 无功补偿装置配置不足或者不合理,会导致电网电压降低,线路损耗增大,输送容量不足,因此合理配置无功补偿装置,保持无功平衡,对于保证电能质量、降低电网损耗、提高电网的输电能力和设备利用率具有重要的作用和意义。对于选煤厂而言,采用 35kV 供电时,主要有两种情况,一是用电负荷大,二是供电距离远,因此为保证输送能力和降低线路损耗,35kV 变电所应设置集中式高压无功补偿装置。选煤厂采用 10kV 电源供电,电源引自内部上一级变电所,且供电距离较近,建设方许可时,可由上一级变电所集中进行无功补偿。如果选煤厂 10kV 电源引自公共电网连接点,选煤厂 10kV 配电室应设置无功补偿装置,补偿后的功率因数不应低于 0.9。

公共电网连接点是用户与供电企业(电网)资产产权的分界处。

自动投切是为了在轻载或空载时自动切除部分电容;避免造成轻载或空载时补偿过剩,给电网带来功率负担和额外线损。

4.3.2 目前选煤厂大量使用 UPS 电源、变频器、计算机等电子电器设备,由此产生大量谐波,使得电网中的元件产生附加的谐波损耗,降低了电气设备的效率,还可使电机产生机械振动、噪声和过电压,使变压器局部严重过热,使电容器、电缆等设备过热、绝缘老化、寿命缩短,以致损坏;对于电力系统外部,谐波对通信系统和控制系统会产生严重干扰。因此,在设计中要采取抑制谐波的措施,设置抑制谐波装置,减少谐波对电网和设备的影响。采用无源滤波装置不能满足要求时,宜设置有源滤波装置。

选煤厂谐波电压和谐波电流应满足现行国家标准《电能质量公用电网谐波》GB/T 14549—1993 的相关规定。

4.4 控 制 系 统

4.4.1 煤流线上全部生产设备及辅助生产设备纳入控制系统,并合理划分控制子系统,便于监测设备工况,减少设备空转时间,进而减少能耗。

4.5 电气设备与电缆

4.5.2 采用变频配电时,电压等级宜根据具体情况,经过经济技术比较后,灵活确定。

4.5.3 一方面变频器自身存在一定的损耗,如变流损耗、谐波损耗和变频器冷却设备的损耗等,另一方面谐波会影响电动机的效率,并会对邻近的通信系统产生干扰,轻者产生噪声,降低通信质量,重者使通信系统无法正常工作。因此当设备有可能长期运行在工频电源时,应有将变频器退出运行的措施。

为减少变频器谐波对电网和设备以及通信系统的影响,应采取抑制谐波的措施。建议 10kV(6kV)变频器采用 12 脉冲及以上移相变压器,660V 变频器配置输入滤波器、du/dt 输出滤波器,380V 变频器配置输入滤波器。

4.5.4 在选择启动方法时,应首先选择直接启动,当直接启动不能满足要求时,再考虑其他方式启动。为限制大功率设备启动时较大的启动电流对电网造成波动,影响其他设备正常工作,应采取限制启动电流的措施。限制启动电流的方法很多,如星三角变换、定子串电抗器、软启动器、变频器等。由于重载设备负载力矩较大,而变频器能提供较大的启动转矩,所以重载设备宜配置变频器启动装置。采用变频器作为启动设备,当启动结束时,宜将变频器退出,以减少能耗和谐波对电网的影响。

4.6 照　明

4.6.1 目前,光源已发展到第四代,即 LED 灯和高频无极灯,LED 灯为固体发光,高频无极灯属弧光放电。两种新光源具有多项相似的特点,也具有各自的特点,见表 1。根据它们各自的特点,在设计选用上应各有偏重。LED 灯单体功率小,建议办公室、配电室、集控室等小空间选用;高频无极灯单体功率大,建议生产车间、户外照明选用。

表 1　高频无极灯与 LED 灯特点

项目名称	高频无极灯	LED 灯
光源类别	气体放电	固体发光
光效	63lm/W～76lm/W	大于 65lm/W
寿命	10 万 HR	10 万 HR～20 万 HR
工作频率	2.5MHz～3.0MHz	直流
启动特性	立即启动	立即启动
光方向性	不强	强

项目名称	高频无极灯	LED 灯
抗震性	强	很强
安装方位	任意方向	任意方向
导热处理	需要	需要
频 闪	无	无
EMC 电磁干扰	小或无	无
光颜色	可选	可选
光谱	宽	狭窄
调光	可调光	可调光
单体功率	10W～200W	0.05W～3W
绿色环保	是	是

4.6.4 节能自控装置可采用钟控、光控,并应具有手控功能。

5 建筑节能

5.0.1 严寒和寒冷地区选煤厂建(构)筑物的节能是全厂节能的主要部分。对于居住及公共建筑节能,国家均有相应的节能设计标准,本章内容主要指工业建(构)筑物节能设计。

5.0.2 本条规定了选煤厂工业建筑节能设计需要控制的几个主要指标,这些指标参考了露天矿工业建筑节能设计及公共建筑节能标准的相应指标。

5.0.3 本条是根据现行国家标准《民用建筑热工设计规范》GB 50176 的有关规定制订的,通过提高热阻值来提高围护结构的保温性能是主要措施。

5.0.4 主厂房、筛分破碎车间等主要建筑物、楼梯间及人员主出入口处为冷热空气交换最为频繁的地方,设置门斗可有效降低其能耗。

5.0.5 本条规定主要考虑自然采光与门窗散热的关系。根据现行国家标准《建筑采光设计标准》GB 50033,工作面上采光等级分为Ⅴ级,化验、办公等公共建筑是Ⅲ级,机修是Ⅳ级,煤的加工、运输及选煤车间等均是Ⅴ级。侧面采光系数标准值由Ⅲ至Ⅴ分别是2、1、0.5,室内天然光临界照度分别是 100 lx、50 lx、25 lx,结合其要求,考虑窗墙的布置比例。高窗照度好,当楼层较高时,要适当布置高窗。

5.0.6 、5.0.7 门窗的选材也是保温节能的措施之一。

5.0.8 带式输送机栈桥是连接两建筑的通道,与相邻建(构)筑物之间的洞口能加速其空气流通,增加隔断可以减少空气流通量,减少采暖热耗。

5.0.9 建(构)筑物架空或外挑楼板多指选煤厂的栈桥、转载点、装车仓等,下部空间敞开,底层楼板在板下(或板上)应做保温。

5.0.10 产品仓的物料多带有水分,仓壁厚度不满足防冻结要求时,会导致物料挂仓,使仓容积缩小或卸料困难。

6 给水、排水节能

6.0.1 气压供水设备在晚间用水量很少，可使设备自动关闭，以节约能耗。

7 供暖、通风与除尘节能

7.0.1 热源的选择应通过技术经济比较确定,在满足供暖、用热参数条件下,宜按照"可供项目利用的工业余热和废热、项目及其附近的热电联产企业、与其他热用户共用的集中供热锅炉房、自建自用锅炉房"的顺序选择。

　　太阳能具有节能、环保等诸多优点,太阳能热水系统在民用建筑中的应用已较为普遍,因此在有条件时煤炭洗选工程的热水供应宜优先采用太阳能,在太阳能热水系统无法保证使用要求时,非供暖季宜采用热泵系统供给。

7.0.2 供暖半径的大小直接关系到循环水泵扬程的选型计算。当供暖规模较大时,为满足最不利热用户的需要,需要提高循环水泵的扬程,而近热源用户又需要通过增加局部阻力的措施来保证系统的水力平衡,无疑会增加供暖系统的电耗。经技术经济比较,采用分区设置热力站的间接供暖系统,主要是为了提高热源的运行效率,减少输配能耗,同时也便于运行管理和控制。

7.0.3 供暖系统采用热水作为热媒,具有系统运行稳定、热能利用率高、输送时热损失小、方便进行节能调节等优点,同时,热水供暖系统对热源设备也具有良好的节能效益,对新建工程的集中供暖系统,应优先发展和采用热水作为热媒。采用热水供暖系统时,应按照连续供暖进行设计,以降低热源的装机容量。

7.0.4 寒冷和严寒地区供暖时间长,建筑物供暖耗热量大,供暖能耗占有相当大的比重。采用高温热水供暖系统,提高供回水温差,在降低工程投资的同时,可有效降低循环水泵的电耗。

7.0.5 自然通风是利用热压和风压作用形成有组织气流,来满足室内通风要求,可有效减少通风能耗,宜优先采用。通风系统设计应做好室内气流组织,提高自然通风效率,减少机械通风的使用时间,机械通风系统不应妨碍建筑的自然通风。

7.0.6 对散发粉尘的设备或工艺环节加以密闭,可防止粉尘的扩散,提高除尘、防尘效果,以较小的除尘风量就可达到理想的除尘效果,能够减少冬季运行时的补风耗热量。对于产生有害气体的设备加以密闭,并设置自然或机械的局部排风,可将设备产生的有害气体及时就地排除,避免有害气体向其他部位扩散,是最经济有效的措施。

8 总图运输节能

8.1 工业场地总平面

8.1.1 本条从平面设计方面对工业场地总平面布置提出节能措施,其中的紧凑布置既包括对建(构)筑物之间的要求,也包括道路平面布置的要求,同时也包括对地下管线间的布置要求。

8.1.2 本条从竖向设计方面对工业场地总平面布置提出节能措施,其中合理确定竖向设计形式和场地平整方式,减少填、挖方工程量也包括场地平整方式及填、挖高度对建(构)筑物基础埋深的影响。

8.1.3 本条从场内运输设计方面对工业场地总平面布置提出节能措施。

8.2 地 面 运 输

8.2.1 由于标准轨距铁路具有能耗低、污染小、成本低、运量大、全天候的优点,特别是目前电气化铁路已经成为我国铁路的主要发展方向,电力机车不占用我国紧缺的石油资源,是适应我国能源特点的运输方式。发展铁路运输对于改善我国交通运输业的能源消费结构将起到积极的推动作用,因此铁路运输是建设我国资源节约型和环境良好型交通运输体系的优选方式。

8.2.2 选煤厂对外运输有条件时以标准铁路运输为主,并提出节能措施。路企直通运输方式即选煤厂铁路装卸站与国铁(地方铁路)直接接轨,不设交接站、场。

8.2.3 选煤厂对外采用铁路或公路运输时,铁路或公路平面线型和竖向设计要经济合理,避免高填深挖。

9 资源综合利用

9.0.1 选煤厂矸石、煤泥和中煤的年产量可根据设计文件中"最终产品平衡表"给出。矸石产品的性质及适宜的工业用途可根据现行国家标准《煤矸石分类》GB/T 29162、《煤矸石利用技术导则》GB/T 29163 给出。

10 能源计量及能耗指标

10.1 能源计量

10.0.1 选煤厂单独设置锅炉房时,可不计量所用蒸汽(或热量),只计量锅炉房用燃煤量。矿井、用户或群矿选煤厂采用矿井锅炉房供暖或供暖来自小区供暖站、附近热电厂余热时,需计量所供给的蒸汽量(或热量)。选煤厂自备压缩空气制备装置时,可只计量压缩空气机所消耗电量;压缩空气来自矿井压风机房时,应计量压缩空气量。

10.2 能耗指标

10.2.1 现行国家标准《取水定额 第 11 部分:选煤》GB/T 18916.11 将选煤厂取水定额按照炼焦煤与非炼焦煤、不同入洗下限和不同年入洗原煤量细分,使用时应根据选煤厂具体情况对照执行。

10.2.3 表 10.2.3 是由不同类型实际生产选煤厂电耗经统计、数据处理得到的。由于各选煤厂煤质情况有差别,产品数量、质量也有差别,同样类型选煤厂电耗一定会有差别;特殊情况遇有煤泥含量很高、可选性很差或其他情况,会有电耗超标的情况发生,此种情况下,如技术经济合理,在有合理解释的情况下,节能审查也宜有条件通过。

S/N:155182·0031

统一书号：155182·0031

定　　价：12.00 元

9 155182 003101